시즌1 이경 FOCUS 2

반짝
반짝

저는 더
할 수 있는데….

쿠앙..

아니. 그만.
절대 안 돼….

난 이제
씻을 거야.

내가
이 얼굴을
쳐다보나
봐라….

오늘은 그냥
여기서 밥 먹고
자고 가.

옷도 없잖아….
다 지저분해져서.

바스스

화
아아…

……!

침대 시트도
네가 갈아.

5

혹사 당한 건
엄연히
내 쪽인데

왜 얘가
기절하는 거지?
웃기는 놈이야.

이제 7시인데
저녁도 안 먹고…
배도 안 고픈가.

습하다.

해가
너무 길어.

빨리
여름이 끝났으면
좋겠어.

……

하루 종일 있었던 일이
전부 다 옅은 꿈 같다.

9

흥분 반 설움 반으로
몰래 울었던 것도

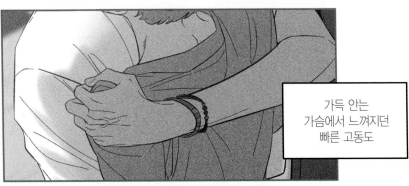

가득 안는
가슴에서 느껴지던
빠른 고동도

카페에서 느꼈던 복잡한 감정도

그건

'질투'같이
아기자기한 단어로 포장된
감정이 아니었다.

내 눈에 비친 아주
찰나의 그 모습이

당연하단 듯
예쁘게
반짝거려서

그래서, 내가 최이경을 몰랐던

이제껏 혼자 괴로워했던 곳으로

나만 다시
돌아가버린 것 같아서

너무 두려웠다.

한 번이라도 진심으로
연애를 해본 적이 있었더라면

이런 감정도
좀 더 태연하게
받아들일 수 있었을까.

아니,
그저 그만 곱씹을 수는
없는 걸까?

돌릴 수도 없는 시간을
왜 이렇게 구질구질하게
붙잡고 있는 건데?

사실은
뻗어진 손을
덜컥 잡아버리고
싶으면서.

나를 두렵게 만드는 건

새로운 만남에 대한
막연한 불안감일까.

아니면

내가 반복해온 실수일까?

주빈아.
나 결혼해.

…아.

미안… 너무 뜬금없었나?

하하… 조금?

놀랍지도 않을 만큼 뻔한 전개다.

결국 이렇게 될 거란 걸 누구보다 잘 알고 있던 사람은 나니까.

…….

그분이지? 야외 연주회에서 인사했던.

응. 맞아. 기억하는구나.

너도 나한테
그랬어.

…어?

너도 나한테
제동 장치 같은
사람이었다고.

…왜
과거형이야?

……?

…주빈아,

아, 미안.

좋은 소식
전해주는 건데
내가 왜….

내, 내가 뭐라고 하는 건지.

결혼 축하해, 세현아—

못된 말은 왜 늘 쉽게 나올까.

앞으로도 그럴 거야.

앞으로도 그럴 거야, 나는.

가장 가까이에 있는 네 친구로서

남들이 완벽하다고 추켜세워주지만

누구보다도 불완전한 나와

어디에서나 당당하고 멋있지만

마음은 여리고 불안전한 네가

17

손을 놓으면
안 되지.

근사한 말이잖아.

이렇게까지
나를 생각해주는 사람을
앞으로 만날 수나
있을 것 같아?

이런 말을 해주는
친구라니, 이것만으로
다신 없을 행운이야.

스케치
SKETCH

내가 여기로
전학 오고 한참
적응 못할 때

반장인 네가
내 친구가 되어줘서
얼마나 기뻤는지
몰라.

고맙다 미안하다,
이런 간단한 말도 제대로
못하는 어리숙한
또래들 사이에서

아무렇지도 않게
자기 진심을
말할 수 있는 친구.

진짜 뜬금없네,
하하하….

아무튼 고마워,
주빈아.

…나 오늘
감기 걸리면
너 때문이다.

헉! 그냥
들어갈까?!

농담이네요,
바보.

그래서 내 마음도 아무렇지 않게 뒤흔들었던

친구

그래. 세현이는 그저 친구였다.

권세현
본 사람!

응?
아, 전학생?

모르겠는데….

야야
쟤 선도부야
폰 잡어넣어;;

걔 요즘
쉬는 시간마다
나가더라.

표정
안 좋던데?

새끼…
걔랑 싸웠냐?

......

세현아.

25

…?

바,

반장…?

말 없고 숫기 없는
전학생에 대한 소문이
제멋대로 퍼져나갔다.

금수저로 태어나
양부모님 때문에 억지로
바이올린을 배우는 애라고.

나중에 물어보니
양부모님은
아니었지만.

부모님이 워낙
야망이 큰 분들이시라

원래는 해외로 유학을
가기로 했었다고 한다.

괜찮아?

응…

깜짝!

…!!!

…고,

고마워,
반장.

학교에서
세현이에겐
나밖에 없었다.

누구와도
원만하게 잘 지내는
내가 필요했다.

손가락이
난리가 났네…
쉬엄쉬엄 해.

다음 주에
배구 수행평가
있으니까.

지익

응…

같이 다니는
시간이 많아질수록

이야기를 나누는
시간도 길어졌다.

세현이는 부모님과의
싸움이 잦다고 했다.

수능 공부에
바이올린 연습까지 해야 하니

너무 버거워서
그만두고 싶다고 할 때마다
심하게 혼이 났다고 한다.

어느 날은,
참기만 하는
자신이 한심해서

홧김에 가장 비싼
그릇을 집어 던져서
깨부쉈다고 했다.

그때 세현이는
꽤나 통쾌했단 듯
웃고 있어서

도련님 같은
곱상한 얼굴에
의외구나 싶었다.

진짜
웃긴 애다….

그런데
주빈이 너는

부모님 얘기를
잘 안 하는 것
같아.

매번 내 얘기
들어주기만
하고….

부모님이랑
안 살아서 그래.

29

난 연애 상대에 그깟 성별 안 가린다고.

아빠가 받아들여주길 기다리고는 있지만.

이런 이유로 혼자 지내는 건 시간이 지나도 적응이 안 돼.

끝도 없이 혼자 기다리는 건 솔직히 지치기도 하고.

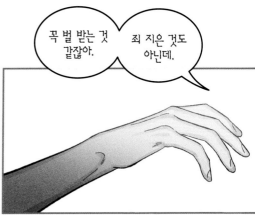

꼭 벌 받는 것 같잖아.

죄 지은 것도 아닌데.

하하…

……?

…권,

권세현?

주빈아.

나는 네가
누구와도
잘 지내길래

사실은…
속으로 너를
질투할 때가 정말
많았어.

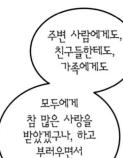

주변 사람에게도,
친구들한테도,
가족에게도

모두에게
참 많은 사랑을
받았겠구나, 하고
부러우면서
씁쓸했거든.

그런데
너는 혼자 힘들고
괴로운데도 나까지
챙겨준 거였구나.

차라리 나한테
배가 불렀다고
욕을 하지….

나 혼자
오해해서
미안해.

고작 내 등을
도닥이는 손길에

진짜 미안,
주빈아.

어어….

버벅

오랜 시간
무뎌져버린 마음이
무너질 줄은 몰랐다.

주변에서 완벽하다고 추켜세워주지만 사실은 불완전한 너랑

항상 당당하지만 남들보다 불안전한 내가

서로 지탱해주기로 하는 거야!

핫…

삐걱…

뒤늦게 몰려오는 쑥스러움

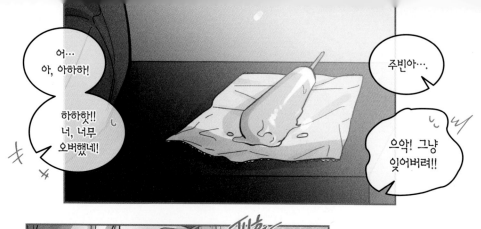

어… 아, 아하하!

하하핫!! 너, 너무 오버했네!

주빈아….

으악! 그냥 잊어버려!!

으, 너무 오글거렸나….

아니야, 주빈아.

진짜 근사한 말인데….

완전 시 같아… 외우고 싶어.

…어.

고맙다… 진짜 외우지는 마.

이 자식… 놀리는 건 아니겠지.

우습게도,
그날부터였다.

그 애를 좋아하기 시작한 건

따뜻하기만 했던 다정함은

세현이를 좋아하게 된 이후로
오히려 서글프게 느껴졌다.

확신할 수 없는
대답을 기다리는 건
생각보다 훨씬 어렵고
외로운 일이라서

대학 생활 이외에도
내 주의를 돌릴 것이
필요했다.

네.

이번 주
평일 중으로
미팅 잡아주세요.

바빠지겠네….

조금이라도
그 애 생각을 덜고자
일부러 일을 찾아서 했고

나를 찾는 모임에는
무리를 해서라도
전부 참석하기 시작했다.

하지만, 세현이를
몇 주에 한 번씩
만날 때마다

나는 원점으로
돌아왔다.

관성 같은 짝사랑은
세게 붙잡을수록

어디로 튈지 모르는
폭탄이 됐다.

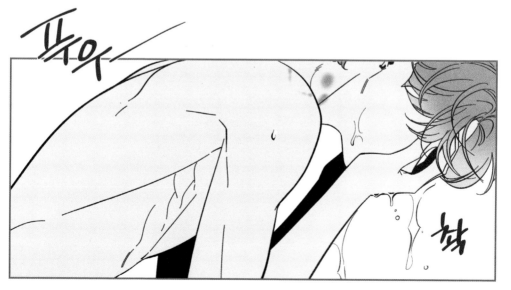

좋은 사람은 반드시
좋은 사람을 만나게
되어있다는 세현의 말은

나를 점점 더
외롭게 만들었고

와, 다음 달부터 지옥의 일정이네.

야외 촬영 출장에 행사, 미팅, 결혼식…. 생일까지 충분하게 쉬어야겠는데.

아, 결혼식…. 세현이 결혼식이었지. 진짜 하는구나.

대학 졸업하고 일하기 시작하면 완벽하게 포기할 수 있을 거라 생각했는데.

착각이었나 봐. 갈수록 속만 더 타는 것 같아.

… 내 생일이라도

둘이서 보낼까.

응...
이번 모델은
비협조적이긴 해도
마스크가 괜찮아서

여차저차
끝내가.

어휴—

다른 건
다 좋은데
시간 약속을
잘 지켜줬으면
좋겠어.

일부러
그러는 건지,

내가 연락을 하면
그제서야
출발하잖아.

주빈아.

응?

모델들이랑 깊게 안 엮이면 안 돼?

......

난 네가

너를 정말 아끼고 배려하는 사람을 만났으면 좋겠어···

다들 너를 생각하지 않는 것 같아서 걱정돼.

나한테
그런 말을 솔직하게
해줄 사람은

너밖에 없는데.

여,

역시 너무
주제넘었나 봐,
미안해….

아냐.
괜찮아.

방긋

걱정해줘서
고맙다.

슬슬 나갈까?

예약도 코스도 다 네가 짜서 그런지

네 생일인데 내가 대접 받는 기분이야….

무슨 소리야? 빨리 뛰어가서 내 선물 사와.

푸핫, 당연히 사놨지!

밥 먹고 줄게, 너무 기대하진 말고….

근데 너 안 덥겠어?

덥고
땀 나고….

습하니까?

아아.

이렇게 나에게
오롯이 집중하고 일상적인
대화를 나누는 시간도

생각보다
평범한
이유네.

앞으로는 점점
줄어들지 않을까.

그렇지 뭐.

이런 식으로 멀어지는 게 싫어.

혼자가 아니라는 기분을,
애초에 네가 알려주지
않았더라면

텁벅

이렇게까지
힘들지는
않았을 텐데.

자꾸 처지네… 우울한 생각 그만하자.

오늘만이라도 나에게 최고의 하루를 만들어주는 거야.

잠깐 저기 공원 앞에서 기다리고 있을래?

건너편에서 차 좀 가져올게.

응

저번처럼 또 이상한 사람들한테 끌려가서 이상한 거 가입하지 말고. 어?

무, 무슨 소리야…!

……

53

그거 알아?

넌 항상 내가
도움이 필요할 때
나타나주는 거.

이 자식이…
도와달라는 말
돌려서
하고 있어.

아하하하!
들켰다!

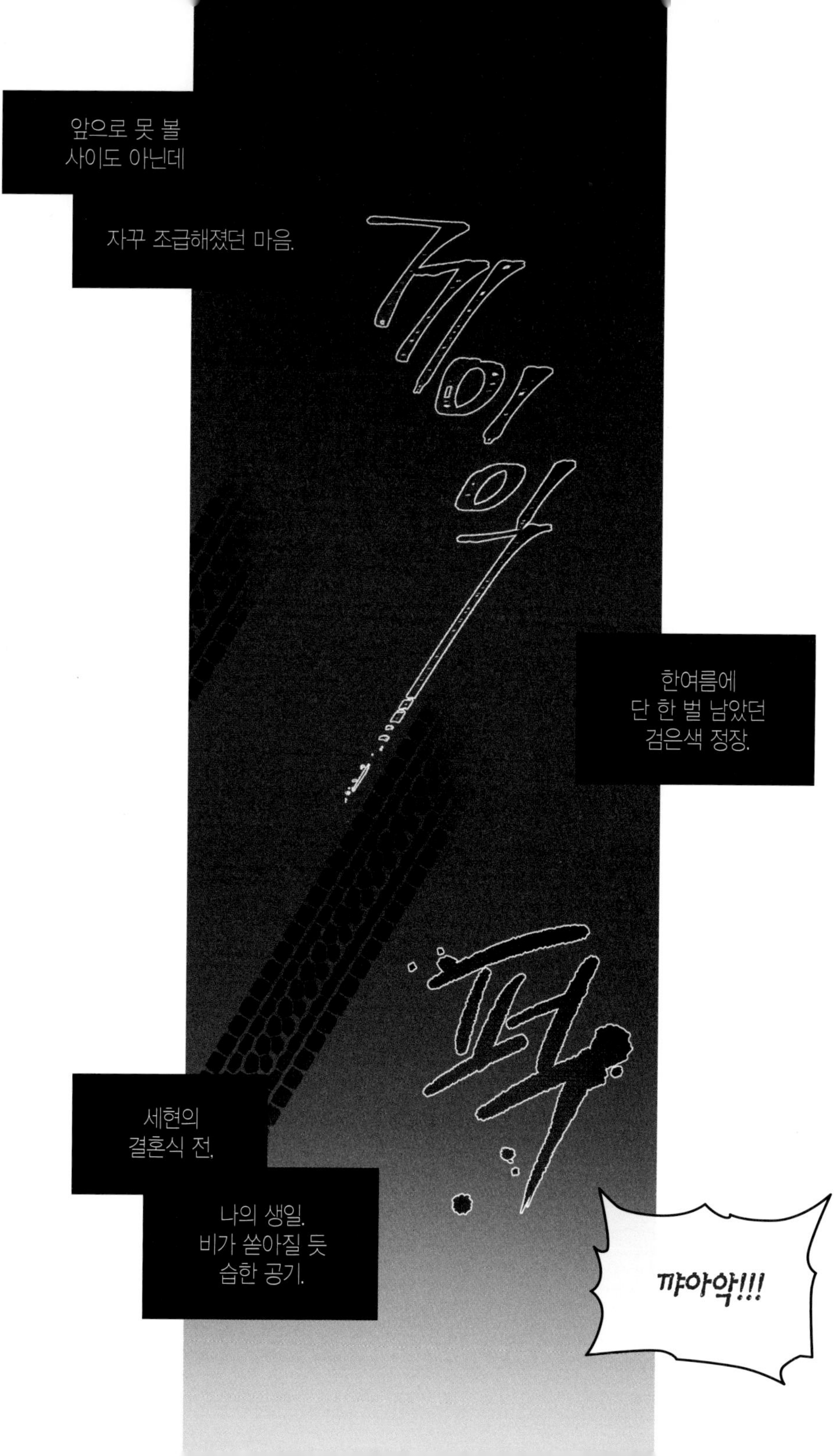

앞으로 못 볼
사이도 아닌데

자꾸 조급해졌던 마음.

게이익

한여름에
단 한 벌 남았던
검은색 정장.

퍽

세현의
결혼식 전,

나의 생일.
비가 쏟아질 듯
습한 공기.

꺄아악!!!

전부 끝나버린 뒤에야 알아챈
스포일러였을지도 모른다.

어떻게
된 겁니까?

길을 건너는데
갑자기 차가…

대낮부터
음주운전이야?

모르겠어요…

사람은?
살아있는 건가?

아니,
순식간에…

와앙

와앙…

세상에

무슨
일이야…

구급차!!

구급차 좀
불러주세요!

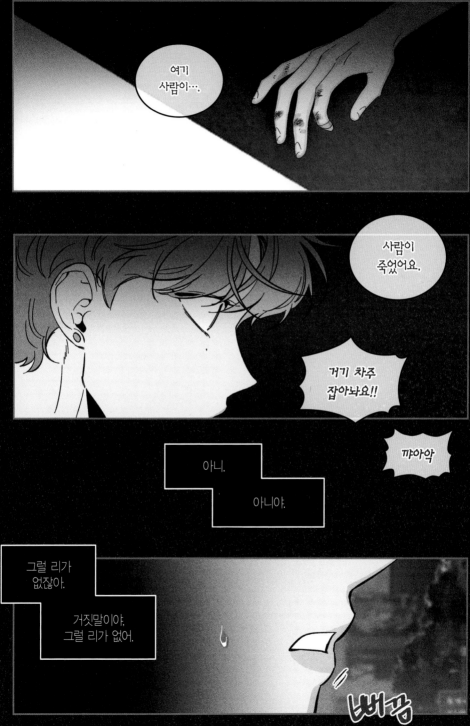

그럴 리가

없다고

이해가 안 돼.

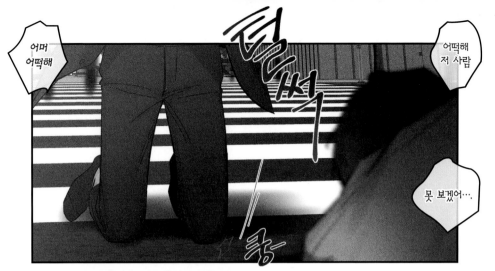

어머
어떡해

어떡해
저 사람

못 보겠어….

난 그저 단 하루를 바랐는데

세,

세현아?

아니.

24시간도
채워지지 않는
단 몇 시간을 바랐는데.

권세현?

년 항상 내가 너를 도와줬다고 말했지만

사실 나는 네 다정함으로 전부 버텨온 거라고.

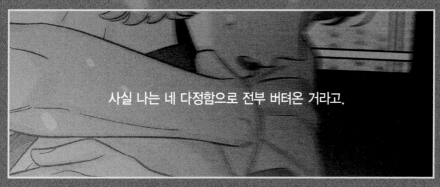

…아, 아직,

나는 하나도, 말해주지 못했는데….

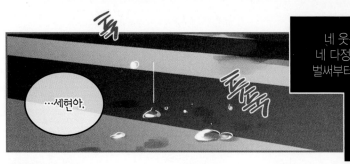

네 웃는 얼굴이.
네 다정한 목소리가
벌써부터 흐려지는데

앞으로
나 혼자서 대체
어떻게 버티라고

...세현아.

내가 가진 게
부러웠었다고 진심으로
사과하지나 말지.

나한테는
네가 준 것들이
전부였는데.

나는 이제

오늘을 어떻게
살아야 해?

상심이
크시겠어요….

성도
권세현

결혼도 앞둔 애였고요….

무엇보다 곧 큰 물에서 공연할 놈이었는데 말입니다.

세상에….

아까워라.

세상에 마음대로 되는 일이 어딨겠습니까.

자식도 똑같지요.

꾸욱.

세현이가
그동안 얼마나,

네 놈 옷에
묻힌 건 세현이
피냐?

피?
피라고?

무슨
일이래.

무례하네….

대표님.
사모님
오셨습니다.

공항 출발까지
30분 정도
남았습니다.

그래.

......

네가 아무리
내 아들놈과
가까이 지냈다고
해도

부모보다 자식과
가까운 사람은 없다는 건
모르는 것 같구나.

...당신이야말로
아무것도 모르고
있으면서.

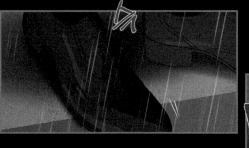

그거 알아?

너는

내가 필요할 때
나타나주는 거.

세현아.

그러면 나는

내가 앞으로

누군가를
필요로 할 땐

누가 와주는 거야?

또 그날
꿈을 꾼 건가?

이번엔 너무
선명해서 못 일어나는
줄 알았다.

......

형…!

괜찮아요?

최이경.

지금
몇 시야?

......

…그걸 왜

울면서
물어봐요.

자고 일어나니까
옆에 형이 없어서
거실로 나와봤는데

베란다 문이
열려있길래…
내다봤더니

거기에 형이
쓰러져 있어서….

저, 저는….

순간 형이
어떻게 된 줄 알고,
진짜….

꽈악

깜짝
놀랐는데…

횡설

수설

일단 몸이
너무 차가워서,
이불로 감쌌,
으, 흑…

제발…
이런 걸로
저 놀라게
하지 마세요….

주빈아.

저 혼자 미칠 것 같단 말이에요….

항상 이유는 알려주지도 않으면서 걱정만 시키고….

이제 좀 괜찮아요?

나는 네가

너를 정말 아끼고 배려하는 사람을 만났으면 좋겠어.

……괜찮아. 고마워.

이경아.

스케치
SKETCH

저기…
이경아.

혹시 그거
맛없니…?

아뇨…
맛있어요.

하아. 저렇게
펑펑 울어버릴
줄은…

▲ 누구 눈치 보는 게 처음

아.

얘는 진짜

눈에 나밖에 안 보이나…?

으윽… 진정이 안 돼.

형.

으, 응?!

제가 아까 섹스해봤다고 말한 거

거짓말이에요.

근데 왜

해봤다고…

형 혼자
너무 능숙한 게
왠지 좀,
억울해서…

홧김에
거짓말했어요.

꿀꺽

……

최이경.

넌 내가
왜 좋은 거야?

……

울컥.

형이 제 앞에 나타나줬잖아요.

제가 짜증나고 피곤할 때도

제가 쩔쩔매면서 바보짓 할 때도 형이 저 꺼내줬잖아요.

형이 나타나서 구해줬고

그리고 지금은, 형 덕분에 하고 싶은 일도 생겼고요.

…가볍에 시작한 마음 아니에요.

형이 저한테 나타나준 그날이 저에게는 여러 가지로 의미가 커요.

형은 기억 못하는 날이겠지만요.

째깍..

째깍..

……

꾸욱..

사랑하는 사람이 있었는데

재작년에 사고로 죽었어.

태어나서
처음으로 해본
사랑이었는데,
나는.

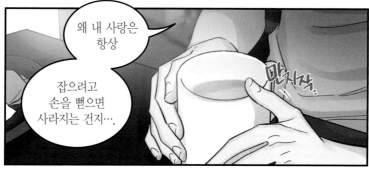

왜 내 사랑은
항상

잡으려고
손을 뻗으면
사라지는 건지…

난 그저
모두에게
사랑 받고 싶어서
주인공을
연기하고

빈속을 채우려고
상한 음식도 안 가리고
먹는 것처럼
산 것뿐인데.

이제 와서
탈이 나는 것
같아.

그런데도
혼자인 게 훨씬
더 힘들어.

그리고…
무엇보다

너를
좋아하게 돼서
무서워.

나도 알고 있었어.
시작하기가 무서워서
너를 무작정 기다리게
만들고는

수시로 네 마음을
재보고, 안심한 거야.
역시 이대로가 좋지
않을까 하고.

하지만
네가 나를 이렇게
사랑해주는데

내 불안함이 결국
너를 지치게 만들고,
모든 게 처음으로
되돌아간다면….

형.

우웃,

자, 잠깐.

오빠

꾸잇...

떡!

파

흡—

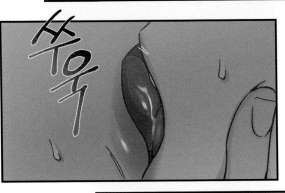

......

멀쩡하다고···.

중얼...

비틀

!!

깜짝

실수했어
실수했어.

이게 아닌데···
이런 말까지
하려던 건 아닌데

형 눈에는
제가

상처를
안 받는 것처럼
보여요?

형이 제가
물어보는 것마다
얼버무리고

네가 나한테 뭔데,
라면서 선 긋고
도망칠 때마다
저도 상처 받았어요.
엄청 속상했어요.

솔직히 말하면,
지금 이 순간도
형에게 꾸준히
상처 받고 있고

형이 사랑한
그 사람에 비하면
나는….

아무것도
아니겠구나라는
생각까지
드는데….

하나도
안 괜찮아요,
주빈이 형.

저 지금 버티고
있는 거예요.

그치만,
말했잖아요.
제가 먼저
시작한 거라고요.

상처 받은 형을
나 조급하다고
제멋대로
붙잡은 거예요.

그런데
이제 와서 제가
형 손을 놔버리면

형은 불안하니까
내 마음을 확인하고
싶은 거야.

사실은 나도
형 못지않게 형의
마음을 알고 싶지만

97

여기서 전부 다 끝나는 거잖아요... 다 없던 일처럼 되잖아요.

형이 내 마음을 확신하는 게 먼저라면

전부 털어놓고 기다릴 수 있어, 조금 힘들더라도 버틸 수 있어.

놓치기 싫어, 절대로.

드디어 사랑하고 싶은 사람을 만난 거라고

......

그...러니까

나는,

형은 오늘이 지나면, 저희가 처음 만났을 때처럼

아무 일 없었다는 듯이 굴 수 있겠어요?

저는 절대 못해요.

대답을 확신할 수 없는데 어떻게 괜찮냐니.

형도 그때 이렇게 상처 받았는데

떨컥...

연애에 요령도 없는 제가 괜찮을 리 없잖아요...

손 뜨거워.

떨리고 있고.

최이경...

ㅡ!

99

…혹시 제 욕심만으로는 부족한 거예요?

연애, 제대로 해본 적 없어서 너무 어려워요.

그래서 형이 연애했던 사람들 중에 제가 제일 바보 같다는 거 저도 알아요.

하지만 저 정말 잘 할 수 있어요. 좀 귀찮더라도 알려주시면 안 돼요?

형한테 잘 보이고 싶단 말이에요…

제가 가장 좋아하는 사람이 스스로를 아끼지 않는데

제가 할 수 있는 건 하나도 없다는 게 더 힘들어요, 저는…

…얘는 정말 왜 이렇게까지 하는 거지.

최이경. 고개 들어봐.

이경이.

멈칫

……?

이경이라고 불러요.

??

뭐야, 이건. 투정인가?

삐닉-

그래… 이경아. 나 봐봐.

스윽…

네.

네가 잘못한 거 말이야.

진짜 없어. 아까는 정말 누구라도 탓하고 싶어서

그냥 홧김에… 다 받아줄 것 같은 너한테 떼쓴 거야.

혼자 앞서간 내 잘못이야.

깜짝!

형은 아무 잘못 없어요!!

이건 정말 제가 먼저 좋아해서…!

!

…나는 네가

나한테 아무 잘못 없다고 말해주는게

좋더라.

시큰

……형?

목소리가,

좋아… 진짜.

네가 좋아.

하아,
솔직히 말하면

이것도 실수일까,
지금이라도 멈추는 게
좋을까라는
생각도 들지만

네가
보고 싶은 적이 있었고,
널 보면서 설렌 적도
많았어.

이유가 뭐가 됐든,
이건 내가 너를
좋아하고 있다는
거잖아.

이것까지
내가 어떻게
숨기겠어.

하아

…이제
대답이 됐어?

번떡

?

지금 당장...
형 안고 싶어요.

안 돼요?

...그, 그런 얼굴로
조르면

…뭐 해?

무거울 텐데?

삐질쭘..

팟

그,

그게

꾸오옥..

형이 저만 꽉 잡고 안겨있는 게 신기해서요.

오늘 포옹 되게 자주 한다, 그쵸…

짭ㅅ쩝..

자,

잠깐!!!

안 돼요.

진짜

잠깐만….

읍….

…!!

하아,

으… 진짜 딱 1분만…

하아…

왜요?

하, 하루에 옷을 세 번이나 갈아입을 순 없어…

아….

이상하다,

형이랑 한 지 하루도 안 됐는데

왜 아까보다 더 떨리는 것 같지?

빨리 안고 싶어…
빨리 형 몸을
껴안고 싶어.

분명 방금 전에
형도 나를
좋아한다고 말했는데

오히려 나 혼자서
좋아할 때보다

더 불안하고,
초조한 것 같아.

쪽‥ 쪼옥‥

쯔쯔

쮸샤‥

으음….

스으읔

쯔으쪽‥

……

춮

…픕.

??

또 왜요…?

크흠, 미안.

저녁부터 밤까지 둘 다 울고 불고 갑자기 또 섹스하는 게

ㅋㅋ

갑자기 웃겨서... 미안. 계속해.

......

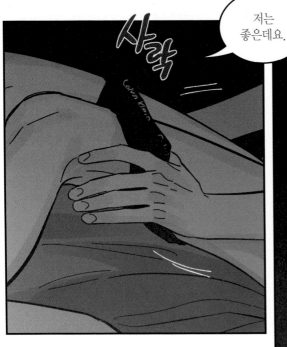

저는 좋은데요.

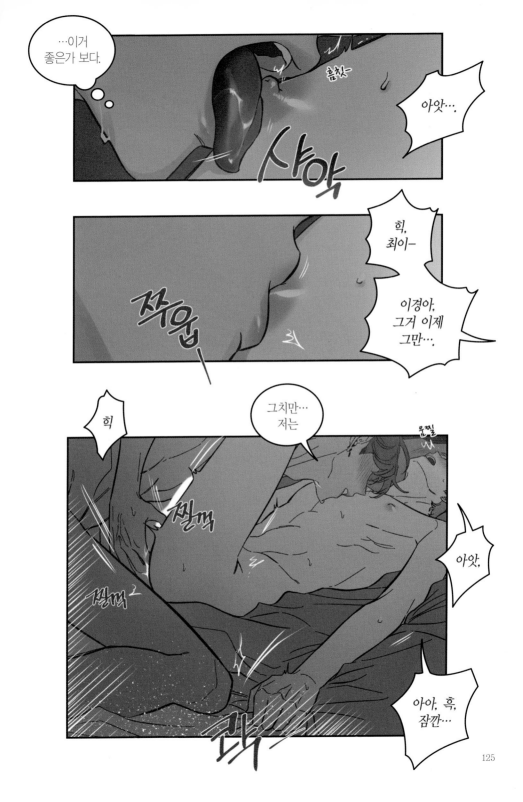

125

형이 말해주지 않으면

모르니까….

…!!!

스케치
SKETCH

아까보다
느슨해졌다.

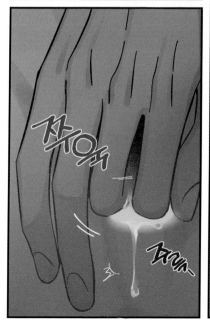

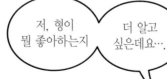
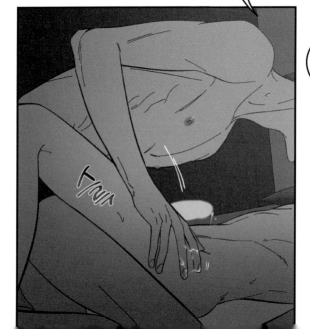

132

아까 전에 형이 해줬을 때 좋았거든요.

부스럭

아니, 진짜 그럴 필요 없으니까 이젠 좀-

!!!

윽...

벌떡

방금 씻은 좋은 향기 난다.

형 피부는 어디든 다 부드럽구나…

스으...

하암

아-!

133

입술 힘 빼봐.
이 세우지 말고.

이렇게.

혀는 아래에 깔고.
아랫니를 덮는 거야.

응…
그렇지.

입술만
사용해서…

…읏!

하아…!

읏….

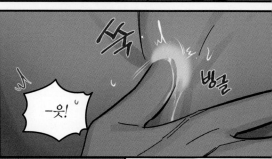

오싹 파하ー

억… 잠깐, 조, 조금만 천천히 해줘…

아잇…

풀 썩

아…!

허ー 너무 빨라…!

벌써 사정하면 곤란한데…

아…

……

무뚝험..

137

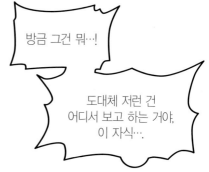

그러고 보니
형은 연애를 많이
해봤다고 했었어.

그에 비하면 나는…
이제서야 사랑하고 싶은
사람이 생긴 꼴인데

나 말고도
다른 사람들을 많이
만나본 형에게

내가 그저
철없는 어린애로만
보이면 어떡하지?

분명 나보다
훨씬 근사하고 멋있는
사람을 만났을 거야.

형 주변에는
멋있는 사람들이
많으니까.

상하 사장님이나
능력 있는 후배들,
업계에서 만난 멋있는
모델들 같은….

왠지 조금
초라해진다….

잠깐.

그보다

우리가
서로에 대해 제대로
아는 게 뭐가 있지?

심지어
형은 아직
내 이름이랑 나이밖에
모르잖아….

갑자기
너무 답답하고
불안해.

아까 형한테
큰소리 쳐놓고
이제와서?

쿵.

쿵.

냥아.

……?

153

155

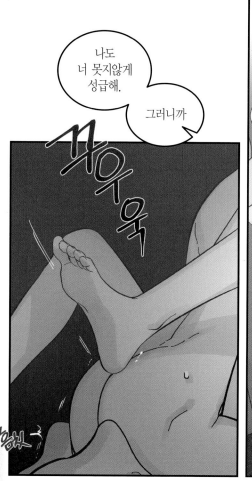

나도
너 못지않게
성급해.

그러니까

내가
너무 기다리게
만들지는 마.

무슨 말인지
알지?

161

응.

이제야 좀
집중하네.

짜아악

씨이약..

표정 좋고.

165

...형.

많이
힘들어요?

응...

졸려요?

그건 아닌데
몸에 힘이 없어.

뭐 하는
거야...

......

......?

......잠깐.

169

…미치겠네.

화끈.

두근 두근

그리고 보니 그만 놀리라는 말, 전에도 했었잖아. 기억나?

작업실에서 네가 나한테 말했었잖아.

그…랬어요? 형이 웃었던 건 기억나요.

사락

아앙

네~ 니가 그랬어요.

그때 얼굴도 엄청 빨갰어.

재밌었지~

점점 반전이라니까, 너도.

얼굴은 이렇게 잘생겼는데 말이야.

......

빠안.

왜 아래가 아직도….

힘끔.

저 진짜 잘생겼어요?

뭐야, 그 질문….

형 아까 전에도 저 잘생겼다고 말했잖아요.

기억 안 남…

저는 이경 씨 얼굴이 정말 좋아요^^

제가 알바 시작할 때도…

제 얼굴 좋다고 말했었구요…

제가 그때 얼마나 떨렸는데요

왜 그런 것만 정확하게 기억하는 건데…

형이 좋아하는 제 얼굴,

175

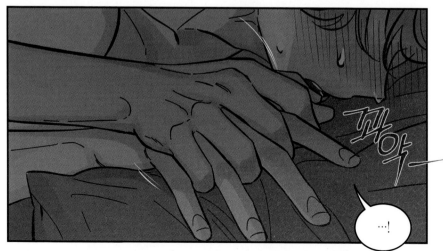

스케치
SKETCH

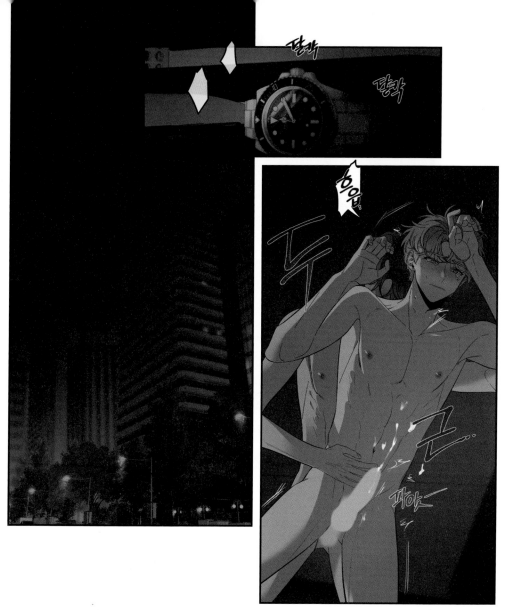

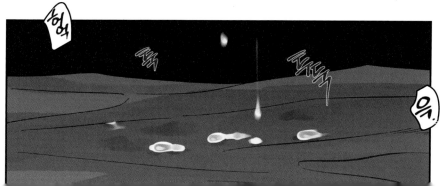

183

싫어….

더는
무리야.

제바알…

자,
잠깐…!

왜 이렇게
죽자고
달려들어…

191

…으,

으….

흑… 으,

으.

형…!!!

왜…

왜 그렇게 서럽게 울어요!!

숨막혀

그걸 니가 묻냐…

형 간 거 몰랐어요…

죄송해요, 죄송해요…

안절부절

…바보,

멍청아… 내가 힘들다고 했잖아…

얏!!

모, 못 들었나 봐요!!!!

심하게
울리려던 건
아니었어요…

미안해요,
주빈이 형…

…됐어.

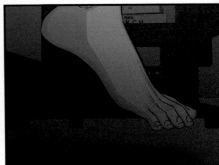

스케치
SKETCH

그새
푹 잠들었어.

진짜
피곤하셨나
보다…

진짜 예쁘다...
껴안고 싶어
키스하고 싶어
ㅠ.ㅠ

......

포옹 정도는
괜찮지 않을까?!

조심히만
하면…

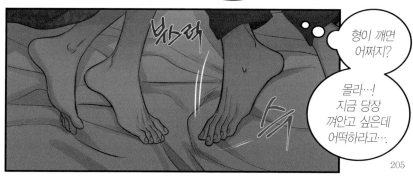

형이 깨면
어쩌지?

몰라…!
지금 당장
껴안고 싶은데
어떡하라고…

우와아아…!

일할 때는
향수 냄새만
났는데,

평소에는 이런
향이었겠구나…

나도 형이랑 같은 향기 나고 있고…

헐. 나 지금 변태 같나…

꿈 같다.

콩닥
콩닥

형이 오랫동안 쌓아두고 있던 두터운 벽.

솔직히 말해서 벽을 두드릴 줄만 알았지, 부술 용기는 없었는데

형이 먼저 이야기를 꺼내줄 줄은 몰랐어.

그런 일이 있었다니.

내가 집요하게 물어볼 때 화내셨을 만도 했을 텐데…

꾹.

과거 얘기를 꺼내던
형의 얼굴이

너무 쓸쓸하고
아파 보였어.

하지만 이젠 전처럼 무력하진 않아.

으응….

…!

응….

무력하지 않아.

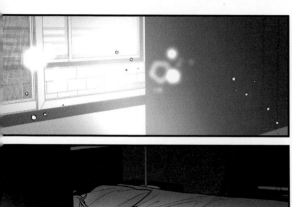

아!

일어났어요?

왈짝

하아

야..

저건…
제가 자취
시작하면서 간단하게
해먹던 건데

냉장고 털이
레시피라서

형 입맛에는
안 맞을 수도
있어요….

덜덜

왈끔

냉장고에
아무것도
없었을 텐데.

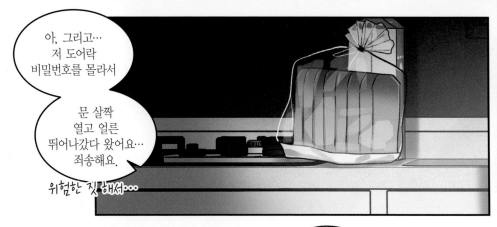

아, 그리고…
저 도어락
비밀번호를 몰라서

문 살짝
열고 얼른
뛰어나갔다 왔어요…
죄송해요.

위험한 짓 해서···

아무튼
빵도 있으니까,
밥이 별로면

토스트라도···

푸옥

기분이 이상하다.

리모델링 페인트 냄새가
반 년이 넘도록
지워지지 않아서

사람 사는 것
같지도 않던
집이었는데.

자취생이었지…

고무장갑…
자주 안 쓰더라도
사둘걸 그랬네.

달강

가족조차도
드나들지 않던
싸늘한 집에

고작 하룻밤 사이
온기가 가득 찼다.

방긋

쏴 쏴

핸드 크림을
어디에 뒀더라.

살풋..

내가 이 다정함에
보답할 수 있는 사람일까.

아니. 이제는

보답할 수 있는
사람이고 싶다.

스스로에게 질문하면서
의심하는 것도 그만할래.

의심하고 고민하다가
간발의 차이로 기회를 놓치는 짓은
이제 더 이상 안 하고 싶어.

?

식탁 말고.
소파로 가자고.

······

머뭇

머뭇...

…네 옆에
앉고 싶으니까.

네,
좋아요….

이젠 일일이
감동 받지
않아도 돼….

꾹
욱

이거 뭐예요?

블랙커피

블랙커피

삐안⋯

…제 얼굴에 뭐 묻었어요?

음? 아니. 그냥….

어제 침대에서 나 죽일 뻔한 그놈이 맞나 싶어서.

믿을 수가 없네

큽….

너 진짜 처음 맞아?

거짓말 아니야, 또?

아니에요! 진짜예요.

그리고….

저 이제

형한테 거짓말
안 할 거예요.

절대로요….

장난친 건데
진지하기는….

……

…가글이라도
하자. 응?

풉.

못 기다리는 거
알잖아요…

으음….

역시 좋다…

어제 그렇게
붙어있고도

허겁지겁
달려드네.

…!
앗,

진짜

만지기만…
할게요.

앗…   자…
잠깐.

너……
올라오고
있잖아…!

그…만….

229

공부는
잘 했겠네.

그런 애들이
뭐 하나에 빠지면
끝장을 보잖아.

......

...맞아요.

?

으싸―

…근데 너 집에 안 가?

…!!

…저 사실 형 작업이랑 상하 사장님 알바 아니면

딱히 집에서 하고 있는 게 없어서….

아하~

대학생이라… 좋네.

속상한
얼굴 하기는…
괜찮아.

슬슬 복귀
준비 중이고.

손 뻗으면
닿는 게 일이야.

그동안 쌓아둔
커리어 없었으면
아무도 안 써줬겠지만,
그건 걱정 안 돼.

멋있어요.

응?

저는…

별로 하고 싶은
일이 없거든요.

시키는 게 있으면 열심히는 하는데

딱히 어느 분야를 잘 하고 싶다고 생각해본 적은 없어요.

그런데 정신 차려보니 졸업반이라 이번 방학만큼은 뭐라도 해보려고 시작한 게 모델 알바였어요.

음. 일은 잘 맞는 것 같아?

…모르겠어요. 잘 맞아서 계속 하고 있는지는.

그나마도 형을 만나게 돼서 열심히 다닌 거니까….

흐응...
천천히 생각해.
단순히 알바로
시작했잖아.

시작한 지
얼마 되지도
않았고.

쪼옥

...혼자
고민하지 말고.

나중에라도
이쪽 일이 계속
하고 싶어지면

나한테
얼마든지
상담해도 돼.

어...
잠깐.

멋있다..

두근...

그러고 보니
이경이 너...

그림 그리지
않았나?

뚜닥!

237

…이경아.

나 지금 이해가 잘….

저는….

형이 당연히… 기억 못하는 줄 알았는데….

하아…

그러니까 뭐를,

우리 대학교 총회 때 만났던 거

형이 기억 못하는 줄 알았어요.

깜짝

…뭐?!

무… 무슨

무슨 소리야? 내가 왜 기억을 못해?

이경아?

너… 괜찮아?

저는 그날을 지금까지 쭉

저 혼자만 기억하는 줄 알았단 말이에요.

아니…·

애초에 우리가
그 주제에 대해
대화를 한 적이
없잖아….

헝클

어제는 밤새
울고 불고 엄청
섹스했고…!

진도가
빨라서 그렇지,
우리 알게 된 지는
며칠 안 됐거든?

그땐 얼굴을
못 외워서 긴가민가
했던 거야.

그래도
상하 사무실에서
인사했잖아!

형.
그러면

우리
인연인 거죠?

245

여기까지
왔으니까요.

와… 엄청
기뻐 보여.

……응.
그렇네.

······? 네?

아, 아무것도 아냐!!

와···
저 지금 엄청
충격이에요···.

이제 눈물도
안 나와요···!

얘 이렇게
흥분하는 거
처음 봐···.

···그럼
형은 그동안

저··· 어떻게
생각했어요?

진짜
잘생겼다…?

파스스.

형00

그런 거
말구요…

정말
그것뿐이라면
좀 슬픈데요…

어떻게 생각했냐니.

솔직하게
말해야겠지.

스

상처 받을걸.

상처요?

개랑 많이 닮았네.

그런 생각 했었어.

세 번째로 만난 날, 상하 작업실에서.

…얼굴
못 쳐다보겠어.

……아.

말하면
차라리 후련할 줄
알았는데

솔직한 건
보통 용기가
필요한 게 아니구나.

거짓말
하기 싫어서

지금
말하는 거야,
나도.

나까지 무너질 순
없으니까

구태여 어른스러운 척
하고 있지만

…….

실망했을
네 얼굴을 마주 볼
자신은 없는 걸 보니

그런데…
지금은
아니야.

나는 네가

…너라서
좋아.

나도 너를 많이
좋아하나 보다.

다시 떠올리지
않을 거야.

물론…
나도 사람이니까
시간은 걸리겠지.

하지만
그날 이후로는
내 기억 속 남아있는
걔가 아니라

날 바라보던
너만 떠올랐어.

나를 보자마자 빨개지는
솔직한 얼굴부터

틈만 나면 지난
상처를 들쑤시던 성가심도

나 좀 봐달라고
무릎을 꿇어버리는
무모함까지

…난 계속
너만 생각했어.

그러니까…

안 되겠어.
무서워.

얼굴을
못 쳐다보겠…

…이경아?

…저는 형이 저를 보고 다른 사람을 떠올렸다고 해도… 괜찮아요.

…뭐?

지금 형이 좋아하는 사람은 저잖아요.

이것보다 중요한 게 뭐가 있어요?

259

스케치
SKETCH

-며칠 뒤

…아,
아하하하….

친해질 때
됐지, 뭐….

아~
그래요?

…….

…….

음…….

……
……

뭐… 됐어요!
상관없어!

그냥
눈치챘다고
말해줄래?

참나….

제가 어떻게
예상했을 줄
알고요?

결국 건드렸네~
이런 표정 했잖아,
방금!

맞잖아요….

뭐라구요?!
결국
건드렸어요?!!

너 진짜 알면서
이러는 거지~!!

…사장님은

주빈이 형 오래
아셨나 봐요…

'주빈이 형'?

흐음~

째릿-

아무래도 그렇죠.

같은 학교 같은 과에다, 하는 일도 늘 겹쳤으니까.

어라.

조금 놀려볼까…

학교에서 엄청 유명했어요.

상대방 착각하게 만들기로.

야, 야…!

271

? 「집중해.」

소곤

! 끄덕 끄덕

……

……

도와주러 온 거 아니었어요?

남의 일터에서 연애하지 마요….

휘익!

흥. 집중 못하는 모델 탓이지.

죄송합니다….

오늘도
수고했어.

감사해요!

근데
상하 사장님은
걸어서 퇴근하시는
거예요?

더우실 텐데…

아니.

남자친구가
데리러 올걸?

더벅

더벅

우뚝

①IN

??

왜?

···저도
남자친구가
데려다주는데.

와꼰

···얼른 와!!

···?

······.

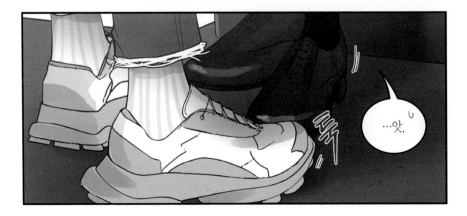

···앗.

형 일하는 건
언제 봐도
멋있어요….

…나도 알아.

새삼스럽긴.

형이
제 애인이라니
믿기지가 않고요.

슬슬
민망하니까
그만해….

…….

…으응.

출근 전에도
해놓고….

281

...집에
안 갈 거야?

조금만 더 안고
있을래요.

...그래......

맴맴—

맴맴—

저씨씨..

......

깨워야
하는데…

...으음.

흠칫

다 왔어.
집 앞이야.

부스럭...

어,
네….

피곤했나 보다.
그새 잠들고.

차 안이
너무 시원해서
졸았나 봐요….

…혹시 많이
기다렸어요?

움찔

으음···

조금···?
많이 안 기다렸어.
괜찮아.

···그냥
일어나지 말걸.

······?

왜?

······아.

…저, 이, 이경이—

아, 아하하…
저 이제 갈게요!

오늘 더워서
형도 피곤할 텐데,
조심히 들어ㄱ….

…? 문이,

이경아.

289

꿈이 하나씩 현실로 변해가는 기분이야….

두근

두근

두근…

빠끔

…….

그런데.

몇 분 전, 차 안

…데,

데… 데이트요…?

어……

멘트가 너무 구렸어?

앗, 아니, 아뇨!!

그게 아니라……

…아아아아…….

고장났군.

섹스부터 해치운 사이에 데이트라니… 민망하지만.

다른 커플들은 다 하는, 그런 뻔한 거.

너랑 하는 건 특별할 것 같아서.

형….

그리고,

꼭 해야 할 말이 있기도 하고.

할 말이라니,
뭘까?

감도
안 오는데…

분명 어딘가
걱정스러운
표정이었어….

……

쏴ㅡ

…아니야.

여기까지
와서 불안해하면
안 돼.

이경 씨 매력을 잘 아는 사람이 작업한다면 다를 수도 있죠?

할끔

······선배, 있잖아요.

지금 재개하려는 작업, 이전에 만나던 그–

푹

하아····.

그거 그냥 엎는 건 어때요.

분명 나중에 다시 보고 이불 차면서 후회할걸요?

뭣보다 그 작업 그대로 하는 거,

선배한테도 이경 씨한테도 안 좋을 텐데요.

···맞아.

잠시 대체할
사람만 찾으면
그만이었는데.

그때는 이렇게
깊은 사이가
될 거라고 예상
못했으니까….

역시 엎자.

구질구질한
일로 최이경한테
상처 주기 싫어.

…젠장.

벌써
보고 싶네….

징이잉

웃

!

시이잉

헉!
형이잖아!!

시이잉

우는 것 같았는데   아니겠지?
별일 없겠지?

당동
당동

!!!

퍼뜩!

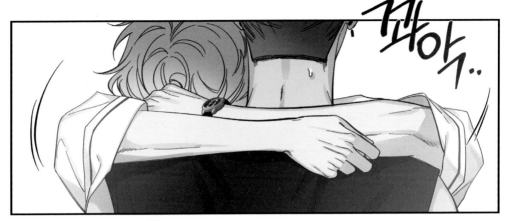

주, 주빈이 형? 괜찮아요…?

스으으으읍-

하아아-

형 아까 전화 받을 때 목소리 안 좋던데…

자, 잠깐만요. 진짜 무슨 일 있었어요?

305

……그게,

…이런 이유로

그 작업 모델을 너로 진행하는 건, 좋지 않다고 생각했어.

전 애인 문제에 네가 엮이게 만들고 싶지 않아. 분명 나도 후회할 것 같고.

그래서 너만 괜찮다면

다음 달부터 내 촬영장에서 일해줬으면 해.

또르르

나 때문에 작업이 엎어진 거니까….

꼭 네가 어시스트로 와줬으면 좋겠어.

형이랑
일하는 건
괜찮지만,

가서 괜히
짐만 될까 봐
걱정인데요…

괜찮아.
내가 있으니까.

일단 다음 달에
브랜드 제품 촬영
스태프 자리
만들어뒀어.

아직 멀었으니까
당분간은
상하 촬영에
집중해주고.

당일에
네가 준비할 건
딱히 없겠지만…
만약 있다면
전화해줄게.

그럼 그동안 형이랑 못 만나요?

…넌 실직하고도 그게 걱정이냐…

상하 촬영 봐주러 계속 갈 거니까 걱정 마. 그리고…

데이트 날짜 잡고 만나서 얘기하고 싶었는데,

하루도 안 돼서 쳐들어와서 미안… 쉬는 날인데.

그거라면 진짜 괜찮아요.

꼼질꼼질…

기다릴 수가 없었어

헤헤

사실은 어제 집에 왔을 때부터 보고 싶었거든요!

하고 싶었다는 말도 별거 아니라서 다행이구요.

308

하하

저 이럴 때마다 연애 안 해본 티 많이 나죠.

......

고작 몇 시간 떨어져 있었는데 매번 안달 나서 큰일이네요…

뜨끔

와락

깜짝

…나야말로

요즘 어딘가 단단히 고장난 것 같아. 너 때문에.

자꾸 평소에 안 하던 짓을 한다고…

꿈얼 꿈얼…

투정 부리는 거 진짜 귀엽다…

두근…

아무튼,
그래서인지
잠 설치다가

악몽까지 꾸고
일어났는데

옆에 아무도
없으니까

갑자기
겁이 나서…

-그래서
일어나자마자
한 시간 동안 외출
준비를 했다?

…응.

일어나자마자
펑펑 울었더니
대충하고 나올 수가
없더라고.

하하. 그래서 이렇게 멋있게 입고 왔…

…울었다고요?!

민망하니까 두 번 말하게 하지 마….

반응도~느려….

너 만나기 전에 혼자서 어떻게 지냈는지 모르겠어.

너랑 같이 잔 건 고작 하룻밤인데.

형도 나랑 똑같아!!

맨날 술 마시고,
밤마다 의미 없는
외출하고….

또
뭐 했더라.

매거진 읽고,
웹툰 보고…

아.
그 웹툰 며칠 전에
완결 났더라.

…….

지금은
아니야….

이건 좀 더
나중에 말하자.

이경아.

…그럼 지금 하고 싶은데.

……!!!!

혹시 싫어?

그럴 리가요!!!

이경아….

으윽, 형…!

…하,

한 번만
한다며….

못 참아요!!

잠깐,

떨어질 것
같아….

뭐,
그런 거지!

스케치 시즌1 이경 FOCUS 2

2024년 1월 24일 1판 1쇄 인쇄
2024년 1월 31일 1판 1쇄 발행

글·그림 도삭

발행인 황민호
콘텐츠4사업본부장 박정훈
책임편집 강경양 | **편집기획** 김사라
디자인 All design group 중앙아트그라픽스
마케팅 조안나 이유진 이나경 | **국제판권** 이주은 한진아 | **제작** 최택순 성시원 진용범
발행처 대원씨아이(주) | **주소** 서울특별시 용산구 한강로 3가 40-456
전화 (02)2071-2018 | **팩스** (02)749-2105 | **등록** 제3-563호 | **등록일자** 1992년 5월 11일
www.dwci.co.kr

ISBN 979-11-7203-148-0 (07810)
ISBN 979-11-7203-146-6 (세트)